ISBN 978-88-98829-69-9

Prima edizione: Maggio 2009
Nuova edizione: Novembre 2013
Terza ristampa: Maggio 2018

Rivisitazione storie di: Marina Iuele
Illustrazioni di: Michela Salotti
Coordinamento editoriale: Prabhat Eusebio
Redazione: Andrea Cogerino
Copertina: Josée Lunetta
Impaginazione: Monica Farinella

www.unoeditori.com
info@unoeditori.com

Marina Iuele

21 piccole storie zen

liberamente tratte dalla tradizione giapponese

uno
EDITORI

A mio padre che più di tutti
a questo mondo mi ha insegnato
quanto importante sia leggere.
A mia madre che mi ha mostrato
che si può scegliere di posare lo sguardo
sulle molte, moltissime bellezze
di questa vita.
Con Incondizionato Amore
e nella consapevolezza che

NOI SONO

Piccola introduzione...

Zen

C'era, poco tempo fa, un delizioso canto nell'aria, una freschezza nuova trasportata dal vento mattutino. Passeggiando per i giardini della città sembrava di muovere passi nuovi... sembrava di camminare in un luogo mai visto prima, anche se potevi riconoscere le stesse vie, le stesse case. Che cosa era cambiato allora? Quando camminavi vedevi gli stessi cani accompagnati dai loro padroni, le stesse auto che sfrecciavano frettolose nelle stesse strade di sempre, lo stesso fiume che scorreva lento... Che cosa era cambiato allora?
Questo si domandava Prabhat, mentre camminava calpestando le foglie umide cadute da poco nel parco. Osservava, ascoltava... ma ancora non riusciva a trovare una risposta a quella domanda.
Improvvisamente una palla colpì il suo piede: poco più in là vide dei ragazzi che giocavano. Uno di loro gli corse incontro per recuperarla:
– Scusi signore – disse educatamente il ragazzo, guardandolo profondamente negli occhi.
Proprio in quel momento il cuore di Prabhat ebbe un sussulto.

Ecco che cos'era cambiato: i bambini!
Improvvisamente tutto era chiaro! Ecco perché l'aria portava una freschezza nuova, ecco perché tutto sembrava così diverso! I bambini erano molto diversi! Prese a osservarne uno, poi due, poi tanti altri nei giorni che seguirono... Che meraviglia si vedeva nei loro occhi! Com'erano profondi, limpidi, saggi i loro sguardi!
Capì immediatamente che **ci volevano racconti nuovi, favole nuove per questi nuovi bambini**.
Così gli venne in mente un'idea!
Prese il cellulare e... – Pronto Marina? – disse. – Dobbiamo incontrarci al più presto, devo dirti una cosa molto importante!
– Ciao Prabhat! Ma certamente, parliamo!
Si incontrarono qualche giorno dopo.
Marina conosceva molti bambini, lavorava con loro tutti i giorni e sapeva che **sono delle creature magiche, capaci di vedere cose che gli adulti non sanno più vedere**.
– Scriviamo un libro di favole per questi bambini speciali? – chiese Prabhat.

Marina sentì, proprio in quel momento, quella freschezza nuova trasportata dal vento… la stessa che aveva sentito lui qualche giorno prima e… – Sì! – disse. – Certo: facciamolo!
Così un po' ogni giorno, e per 21 volte, Marina sentì cantare il vento, ascoltò le sue parole e le scrisse…
Erano nate 21 piccole storie zen!
– Ma chi penserà ai disegni? Io posso scrivere… ma non sono tanto brava a disegnare – disse Marina.
– Josée e Michela! Ecco chi potrà illustrare le storie cantate dal vento! – disse Prabhat.
Così arrivarono anche Josée e Michela, anche loro sapevano ascoltare il canto del vento… e il vento prese loro le mani, le mosse sul foglio e…
Erano nati tanti piccoli disegni zen!
Non restava che mettere tutto insieme. I quattro amici si misero al lavoro: uno organizzava, una scriveva, due disegnavano…
È così che è nato il libro che ti prepari a leggere… è nato dallo sguardo profondo di un bambino come te, dalle parole sussurrate

dal vento e dai disegni che danzando ha tracciato sulle pagine, dall'Amore di chi ti vuole dire:
– Che bello che ci sia anche tu su questo pianeta!

Bentrovata! Bentrovato!

Marina, Josée, Michela, Prabhat

1

Due tigri... una fragola

In un caldo pomeriggio d'estate un uomo camminava in un campo, quando incontrò una tigre.
Spaventato dalle dimensioni dell'animale, che era grossissimo, si mise a correre come il vento per cercare di sfuggirgli. Ma con rapidi balzi l'animale lo tallonava e, per quanto veloce il povero uomo corresse, era sempre a un solo passo da lui!
Arrivato sull'orlo di un burrone l'uomo pensò: «Se riesco a trovare un ramo robusto potrei appendermi e lasciarmi penzolare nel vuoto. La tigre non oserà mai superare l'orlo del burrone perché avrà paura di cadere! In questo modo potrei aspettare che rinunci a mangiarmi, che vada via e finalmente io potrei tornare su ed essere salvo!».
E il cielo sembrò proprio esaudire il suo desiderio, perché in effetti l'uomo trovò una robusta radice di vite selvatica alla quale si appese in attesa che l'animale si allontanasse.
Ma la tigre non si mosse, rimase paziente a osservarlo, immobile.
L'uomo allora guardò in basso pensando: «Se il burrone non è troppo profondo potrei lasciarmi cadere e mettermi in salvo...».

Ma una sorpresa che davvero non si aspettava lo attendeva in fondo al burrone: silenziosa e paziente, un'altra tigre guardava quell'uomo pregustando un prelibato bocconcino.
L'uomo pensò: «Beh, per fortuna almeno questa radice alla quale sono appeso regge!», ma si accorse guardando con la coda dell'occhio che due topolini, uno bianco e uno nero, stavano cominciando proprio in quel momento a rosicchiare la radice!
«Stavolta sono veramente perduto...», pensò l'uomo.

Poi, inaspettatamente, vide una magnifica e succosa fragola rossa proprio accanto alla radice che lo sorreggeva... ed ebbe un'idea.
Disse ai due topi:
– Poveri fratelli topi, quanta fatica dovete fare per procurarvi un poco di cibo, questa radice è così dura e

difficile da mangiare! Mi dispiace tanto per voi... ma se mi aiutate io ho per voi qualcosa che non avete mai mangiato e che, ne sono certo, vi piacerà moltissimo!

A quelle parole i topi si guardarono e, desiderosi di poter mangiare un nuovo cibo, dissero:

– Come possiamo aiutarti? Non siamo che piccoli topi... tu sei molto più grande di noi, sei molto più potente!

– Non è così, amici miei: **ogni creatura vivente, grande o piccola che sia, è collegata con tutto quello che esiste e ha un compito che solo lei è in grado di svolgere**!

Stupiti, molto stupiti da quelle parole, i topi dissero:

– E cosa sappiamo mai fare noi che tu non sai fare?

– Voi sapete spaventare le tigri! Io non ne sono capace, non ho questo potere.

Era proprio vero! Non ci avevano mai pensato i piccoli topini: loro erano in grado di mettere in fuga un animale grosso e feroce come una tigre!

– Ho bisogno però del vostro aiuto *ora*... o non mi salverò! – continuò l'uomo con la voce piena di paura.

– Ti aiuteremo e poi torneremo da te per la ricompensa che ci hai promesso... – E in un attimo non furono più lì: il topo bianco era balzato in alto e aveva spaventato e messo in fuga la prima tigre, che si era sentita mordicchiare improvvisamente una zampa; il topo nero si era invece lanciato in fondo al precipizio e salterellava ora sulla schiena della seconda tigre, che per il gran solletico corse via, ridendo, a gettarsi nel fiume.
Intanto l'uomo allungò una mano e prese quella succosa fragola; quindi, raccogliendo tutte le sue forze, si tirò fuori dal burrone e attese il ritorno dei topolini.
Non dovette aspettare a lungo, perché dopo pochi minuti da un lato ritornò in gran corsa il topo bianco, e dalla parte opposta quello nero...
– Ecco il cibo che vi ho promesso... – disse l'uomo dividendo la fragola in due parti uguali e offrendone una a ciascuno dei topini.
Quel giorno un uomo aveva imparato tre cose: **c'è sempre una soluzione a qualsiasi problema; se sei in una grande difficoltà**

puoi chiedere aiuto; ogni creatura del mondo ha in sé un potere, anche quelle che ti sembrano più piccole e indifese.
«È stata proprio una bella giornata!» si disse mentre, sdraiato nel suo letto, soffiava la candela per spegnerla e dormire...

2

L'importanza di ringraziare

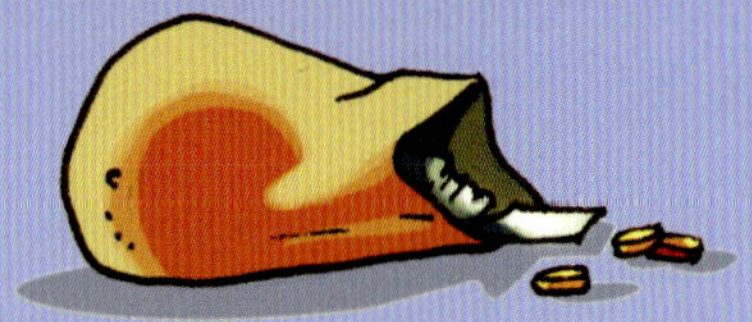

C'era una volta un uomo molto saggio, che nel suo Paese veniva chiamato «Maestro».
Un giorno nella sua casa entrò improvvisamente un ladro che gli disse con tono minaccioso:
– Dammi i tuoi soldi!
Il Maestro non si spaventò affatto delle minacce di quell'uomo. Rifletté un momento prima di rispondergli:
– Soldi? Ne ho abbastanza. Ti ringrazio molto, perché ne avevo troppi. Proprio oggi una persona me ne ha dati molti. Prendili, per favore...
Potete immaginare quanto il ladro fosse stupito nel sentire queste parole! Non riusciva a capire perché quell'uomo fosse così calmo, così sorridente, addirittura felice che lo stessero derubando!
Timidamente il ladro chiese:
– Posso portare via tutto?
– Certamente! – rispose il Maestro. – Devi portare via tutto!
Il ladro, sempre più stupito, prese tutto, si diresse verso la porta

per uscire e... – Aspetta! – lo fermò il Maestro. – Vedo che indossi un vestito piuttosto leggero, fra poco sarà notte e avrai molto freddo. Proprio ieri ho ricevuto in dono un vestito bello caldo e in buone condizioni, te lo regalo...

Il ladro prese il vestito e lo mise nel sacco insieme al denaro.

– Aspetta ancora un momento – lo fermò di nuovo il Maestro. – **Non ho più niente da darti, ma avendo ricevuto da me questi doni tu hai il *dovere* di ringraziarmi**.

L'uomo, sempre più sbalordito, ringraziò e uscì di lì.

Dopo qualche tempo venne arrestato e confessò tutti i suoi crimini, fra cui il furto avvenuto nella casa del saggio.

Il Maestro fu convocato dai poliziotti, raccontò com'erano andate le cose e... venne accusato di aver favorito il ladro con il suo comportamento!

A quelle accuse il Maestro rispose:

– Ma nessun ladro è mai venuto a casa mia!

– Non conosci dunque quest'uomo? – gli chiesero i poliziotti.

– Ma certo: un giorno è venuto a casa mia, gli ho fatto dei regali e

lui mi ha ringraziato prima di andarsene...
A quelle parole il ladro rimase sconvolto, ringraziò di nuovo il Maestro e si mise a piangere, profondamente commosso.
Quando finalmente furono fuori, il Maestro gli chiese:
– Che cosa hai dunque imparato da tutta questa vicenda?
Il ladro, dopo essersi asciugato le lacrime, rispose:
– Ho capito che **quando abbiamo tutto quello di cui abbiamo bisogno, non c'è nessun motivo di accumulare molto** denaro, molte cose... perché in realtà non ci servono davvero! Ho capito che **se regaliamo quello che abbiamo in più a qualcuno che ne ha bisogno noi ci sentiamo più leggeri e lui si sente più caldo**.
E poi ho capito che **devo sempre ringraziare per i doni che mi vengono fatti, perché nessuno è in obbligo di darmi nulla e, se decide di farlo, quello è un regalo**.
Il Maestro allora gli sorrise, come aveva fatto la prima volta che si erano incontrati, lo abbracciò con forza e infine esclamò:
– Questo è un buon giorno.

3

Una tazza, solo una tazza

C'erano una volta, dall'altra parte del mondo rispetto a quella in cui viviamo noi, due fratellini che vivevano felicemente insieme a saggi Maestri che si prendevano cura di loro.
Un giorno al più giovane dei due fratelli cadde di mano una tazza: scivolò a terra e si ruppe.
Quella tazza era molto preziosa perché era un dono dell'Imperatore.
Accortosi di quanto era successo, il capo dei Maestri sgridò severamente il giovane dicendogli:
– Fai attenzione alle cose che fai! Sei distratto e hai combinato un grossissimo guaio! Ora il nostro servizio di tazze, dono dell'Imperatore in persona, non è più completo!
Il povero bambino, sentendosi tremendamente in colpa, andò a rifugiarsi nell'angolo più buio della stanza e iniziò a piangere disperatamente.
Il fratello, di qualche anno più grande, accorse e trovandolo in lacrime gli chiese:
– Ma cosa succede? Perché piangi così?

– Sono uno sciocco e un incapace! – gli disse fra i singhiozzi il piccolo. – Ho combinato un guaio irrimediabile, ne sono responsabile e non posso porre alcun rimedio!
Il fratello più grande impallidì e, temendo il peggio, gli disse:
– Ma cosa hai fatto? Raccontami e stai tranquillo, sono tuo fratello maggiore, mi sono sempre preso cura di te e vedrai che anche questa volta troveremo una soluzione.
Pieno di vergogna il fratello più piccolo quasi non riusciva a parlare:
– Oh, se tu sapessi... Ho rotto una tazza! Ma non una tazza qualsiasi, una tazza donata dall'Imperatore in persona; e ora, per colpa mia...
– Non dire altro – lo interruppe il fratello, ricordandosi una lezione molto importante che aveva già imparato. Egli sapeva infatti che **le parole sono molto importanti e sono capaci di creare addirittura le cose che sono intorno a noi**! Per questo bisogna stare molto attenti a ciò che si dice ed **è sempre meglio pronunciare parole di gioia, di Amore e di felicità**! Questo il piccolo disperato

ancora non lo sapeva... ma per fortuna esistono i fratelli maggiori!
– Tu stai qui, non preoccuparti di nulla e sappi che non hai combinato nessun guaio perché una tazza... è solo una tazza! Tra poco tornerò da te e tutto sarà risolto.
Raccolse i cocci della tazza, li nascose nella manica del suo vestito, andò nel giardino del tempio e lì rimase paziente per molto tempo, in attesa che arrivasse il Maestro.
Aveva già imparato **quanto importante sia la pazienza** e sapeva che **ogni cosa può solo accadere nel momento giusto**... Questo momento arriva: mai troppo presto, mai troppo tardi, ma... quando è il momento!
Dopo un po' di tempo arrivò il Maestro e il giovane allievo gli andò incontro per porgli delle domande.
– Mio buon Maestro – cominciò. – Gli uomini nati su questa Terra muoiono o non muoiono?
– Certo che muoiono – rispose il Maestro.
– E anche tutti gli altri esseri e i minerali e tutte le cose sono destinati a morire?

– Certo, ogni cosa che abbia una forma deve necessariamente... cambiare forma quando arriva il suo momento. **Questo cambiamento viene anche chiamato «morte»**.

– Quindi, se capisco bene – proseguì il giovane – **poiché ogni cosa a un certo punto cambia forma (o «muore», se così vogliamo dire) noi non dovremmo piangere, né rimpiangere ciò che non c'è più, né arrabbiarci contro il destino**.

– No, naturalmente no, hai ben compreso. Ma dove vuoi arrivare con questo tuo discorso? – domandò il Maestro, felice di quanto fosse diventato saggio quel suo allievo.

Il ragazzo allora estrasse dalla manica del suo vestito i cocci della tazza rotta e li diede al Maestro.

Il Maestro lo guardò con profondo rispetto e non disse nulla.

Il ragazzo prese la mano del Maestro, lo portò là dove stava suo fratello, ancora tremante di paura e di vergogna. Il ragazzo non fece nulla; il Maestro prese in braccio il piccolo e gli diede una carezza sul volto, poi guardò il fratello maggiore e sorrise.
Aveva imparato dal suo allievo un'importantissima lezione e voi, che siete tutti piccoli Maestri, avrete sicuramente capito quale...
Fortunato è quel Maestro che vede il suo allievo diventare più saggio di lui!

4

Un grande Maestro, un grande discepolo

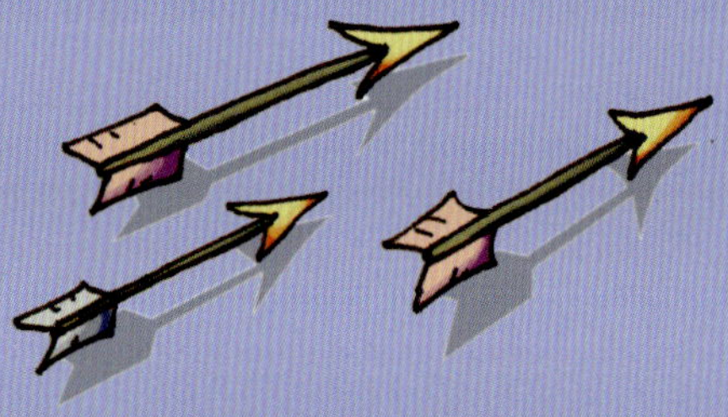

C'era una volta un grande Maestro di nome Kyodo che aveva un discepolo che si chiamava Kisho.
Kisho aveva una gran voglia di imparare tutto quello che il suo Maestro sapeva perché voleva, un giorno, diventare più bravo e più saggio di lui.
«Quando il mio Maestro morirà» pensava Kisho «io prenderò il suo posto! Sarò più saggio di lui, più bravo di lui e più forte di lui!».
Il tempo passava, ma il Maestro Kyodo era sempre pieno di vitalità e forte nel corpo, e non sembrava proprio avvicinarsi alla morte.
Kisho diventava sempre più impaziente finché un giorno, stufo di aspettare inutilmente, si disse: «Lo ucciderò io!», perché voleva a tutti i costi prendersi con le sue mani quello che l'esistenza non gli voleva dare.
Così un giorno Kisho si stava esercitando al tiro con l'arco in un campo, quando arrivò il Maestro Kyodo. «Questo è proprio il momento giusto» pensò Kisho e, con molta precisione, mirò al Maestro e scoccò una freccia.

Nello stesso istante però anche il Maestro tirò: le due frecce si colpirono in volo e caddero per terra.

Subito Kisho prese un'altra freccia e, cercando di giocare in velocità, mirò di nuovo al Maestro e scoccò la sua freccia ma... con suo grande stupore di nuovo questa cadde in terra, colpita da una freccia scoccata dal Maestro!

Il discepolo tirò nove volte, e per nove volte il Maestro riuscì a spezzare la sua freccia in volo e a non essere colpito.

Kyodo però aveva finito le sue frecce, mentre al discepolo ne rimaneva ancora una...

«Questa è quella buona» si disse Kisho, col sorriso di chi già pregusta la vittoria. Prese la mira, tese l'arco con tutta la forza che poteva,

trattenne il fiato e… scoccò l'ultima freccia!
Il Maestro allora afferrò una lancia e la scagliò in aria esattamente contro la freccia, che per una volta ancora cadde a terra senza colpirlo!
Il discepolo era senza parole e immobile per lo stupore, ma anche ammirato dalla forza del suo Maestro… Come aveva pensato di poter esser forte e saggio come lui? E se lo fosse stato davvero, il Maestro non glielo avrebbe forse detto? **Se davvero avesse avuto saggezza e forza a sufficienza per diventare Maestro, egli stesso lo sarebbe diventato semplicemente, senza bisogno che il suo Maestro morisse**.
Quel Maestro, così forte da colpire non una ma dieci delle sue frecce in volo, avrebbe potuto decidere di uccidere lui il suo discepolo… e invece aveva semplicemente spezzato quegli strumenti di morte e non lo aveva neppure sfiorato.
E allora Kisho capì quante cose aveva ancora da imparare! Non conosceva l'Amore che prova colui che sa amare anche chi cerca di fargli del male. Non sapeva ancora, quel discepolo, che **l'Amore è**

incondizionato**, cioè è vivo verso qualunque creatura vivente**. Non immaginava neppure che **quell'Amore è così grande da saper perdonare**!

Ma in quel momento comprese tutte queste cose e, con il cuore gonfio di dispiacere, si gettò ai piedi del suo Maestro.

– Oh grande Maestro – gli disse non osando neppure guardarlo negli occhi.

– Oh grande discepolo – rispose Kyodo parlandogli con voce amorevole mentre sorrideva...

E, così dicendo, lo fece rialzare e l'abbracciò.

Sapeva che il suo discepolo aveva capito e che, in fondo, non importa nient'altro.

5

Le porte del paradiso

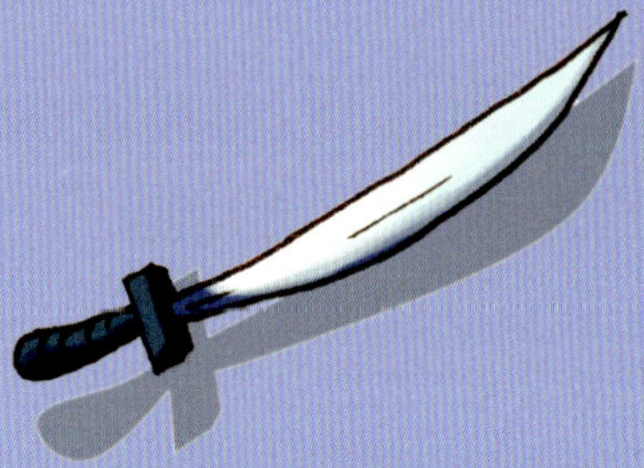

Un giorno un soldato andò dal Maestro Hakuin e gli domandò:
– C'è davvero un paradiso e un inferno?
Alzando lo sguardo... – Chi sei? – volle sapere il Maestro.
– Sono un guerriero – gli rispose il samurai.
Il Maestro scoppiò a ridere e puntando il dito verso di lui... – Tu? Tu saresti un guerriero?! – E proseguì fra le risate: – Ma quale re ti vorrebbe come sua guardia! Hai la faccia di un mendicante!
Il soldato si arrabbiò così tanto che fece il gesto di sfilare la spada dal fodero, mentre il Maestro continuava a prenderlo in giro:
– Ma guarda guarda, hai pure una spada! E cosa vorresti farci? Usarla per tagliarmi la testa? La lama della tua spada non è abbastanza affilata!
A quell'ultimo affronto il soldato perse tutta la sua pazienza e sfoderò la spada, quando improvvisamente il Maestro si fece serio:
– Qui si aprono le porte dell'inferno – disse con sguardo fermo.
Il guerriero si fermò improvvisamente... e capì la preziosa lezione che il Maestro gli stava impartendo: **non esisteva un luogo chiamato «inferno» al di fuori di lui. Egli aveva incontrato le porte**

del suo inferno nel momento in cui aveva permesso alla sua rabbia di coprire la limpidezza del suo cuore e della sua mente.

– Non lo permetterò! – disse il suo cuore. E subito il valoroso guerriero ripose la spada nel suo fodero e fece un profondo inchino al Maestro.

– Ora si aprono le porte del paradiso – disse con la stessa espressione seria Hakuin.

Quel giorno il buon samurai aveva imparato che **dentro ogni uomo, ogni donna e ogni bambino esiste un personale inferno e un proprio paradiso**. Riconobbe che **queste sono parti di noi che vanno conosciute e accettate**. Sperimentò che **in ogni momento abbiamo il potere di scegliere se vivere all'inferno o in paradiso**.

E mai più scordò quella importante lezione.

6

I frutti della collera

La storia che stiamo per narrare accadde molto, molto tempo fa, in un villaggio di campagna. Lì viveva un'anziana donna che era così gelosa della moglie di suo figlio, che cercava sempre delle scuse per sgridarla e per attaccar briga.

Qualunque cosa la giovane donna facesse, era fatta male. Se cucinava le patate, la suocera diceva:

– Queste patate son crude!

Allora la volta successiva la nuora le lasciava cuocere di più. Ma a quel punto la suocera lamentava:

– Queste patate son troppo cotte!

Se la nuora si recava al ruscello a prendere l'acqua, non appena tornata a casa la suocera interveniva:

– Hai versato troppa acqua durante il percorso, l'anfora è mezza vuota!

Se lavava i panni:

– Ci sono delle macchie, rilavali!

La giovane donna non ne poteva più: ogni giorno la situazione

peggiorava e dal mattino alla sera non erano che sgridate e sgridate.

Un giorno, mentre la nuora cucinava il riso, la suocera s'infuriò con lei senza un vero motivo. E quella volta la giovane donna perse, una volta per tutte, la pazienza.

– Basta! Non ne posso più! – gridò con tutto il fiato che aveva in corpo. E senza neppure rendersene conto prese un pezzo di legno infuocato e lo scagliò contro un mucchio di fieno, che si incendiò in un attimo.

Poiché soffiava un forte vento, l'incendio si diffuse velocemente fino a raggiungere la stalla dove c'erano gli elefanti del re. Questi, sorpresi dal fuoco e spaventati a morte, sfondarono le mura del villaggio e si rifugiarono nel regno vicino.

Ma, come si sa, gli elefanti hanno lunga memoria, e così negli anni che seguirono e per tutte le generazioni di elefanti che vennero poi, accadde un fatto strano: ogni volta che uno degli elefanti incontrava per caso un uomo o una donna del lontano paese di origine, lo calpestava rabbiosamente.
Nessuno ricordava, dopo tanto tempo, che cosa fosse successo, ma a causa di queste continue uccisioni a opera degli elefanti, venne dichiarata guerra fra i due regni e questa guerra durò dieci anni.
E così, a causa della collera di una donna gelosa, derivarono dieci anni di guerra fra gente che quella donna non aveva neppure conosciuto! Perché **l'Energia creata dalle nostre azioni gira e gira per tanto tempo, e certe volte arriva anche in posti molto lontani, anche in un altro paese e perfino... in un altro tempo**!

7

Storia di Gobuki

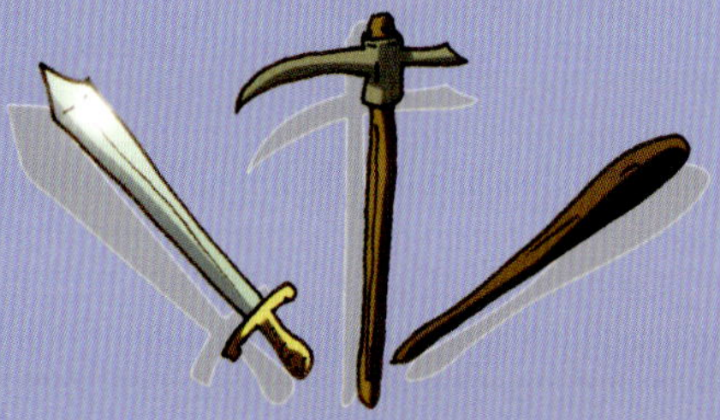

Viveva un tempo, proprio sulla montagna che stava sopra un antico villaggio, un mostro gigantesco che divorava chiunque si avvicinasse alla sua caverna.
Ma un giorno un giovane di nome Gobuki si offrì di salire sulla montagna per affrontare il mostro.
– Figlio mio, non andare! Nessuno è mai tornato vivo dalla caverna del mostro! – piangeva sua madre.
– Non devi dimostrare niente a nessuno, sei mio figlio e io so quanto tu sia nobile e coraggioso! – provava a scoraggiarlo suo padre.
– Padre, madre... io *devo* andare! Sento dentro di me che devo percorrere questa strada, non abbiate paura per me, io ritornerò e ritornerò vittorioso! – disse il giovane.
I due anziani genitori, sentite quelle parole, non provarono neppure a fargli cambiare idea, perché sapevano che **ognuno deve seguire il proprio destino**. Lo sapeva anche Gobuki, e così partì.
Gli abitanti del villaggio gli consegnarono allora cinque armi diverse: un piccone, una lancia, un bastone, una spada e una forca.

Salì per due giorni su per il pendio della montagna prima di trovarsi all'ingresso della caverna. Quando finalmente vi giunse, accadde una cosa davvero molto strana: tutte le armi gli si incollarono addosso, **non avrebbe potuto usare nulla per difendersi**! Nulla... **tranne la saggezza del suo cuore**.

Giunto che fu alla caverna, dicevamo, il mostro gli si parò dinnanzi: era enorme, peloso, e dallo sguardo pareva proprio ferocissimo!

Gobuki non si mosse, fissava il mostro negli occhi senza provare alcuno spavento.

– Perché non ti faccio paura? – gridò il mostro quando si accorse dell'indifferenza del ragazzo.

– Non so dirlo – rispose Gobuki. – **Il fatto è che io sono universale e anche tu lo sei. Per questo motivo tu esisti in me come io esisto in te**. Se mi mangi... in realtà mangi te stesso. Ma se mangi te stesso, sei pazzo! Tuttavia, se vuoi mangiare te stesso... prego, fa' pure!

Il mostro, in preda allo stupore, urlò allora:

– Fino a oggi non avevo mai incontrato nessuno che nel vedermi non fosse terrorizzato. Con te tutto diventa complicato! Il mio stomaco si rivolta, non ho più voglia di mangiare, non posso... Te ne prego, prendi le tue armi e va' via!

E fu così che il giovane Gobuki sconfisse il mostro della montagna, non facendo assolutamente niente, ricordando semplicemente al mostro, e a se stesso, che **tutti siamo un unico, grande, meraviglioso Essere** e non vale la pena di litigare, arrabbiarsi... e nemmeno avere paura!

Dentro il cuore di ognuno di noi c'è una caverna, e dentro vi abita un mostro che fa paura; **ma se, anziché cedere a quella paura, noi la guardiamo negli occhi, ci accorgiamo che la paura poco a poco scompare**, e noi possiamo entrare nella caverna e abbracciare il nostro mostro, che forse sta solamente aspettando... di non sentirsi più solo!

E questo il giovane Gobuki lo sapeva.

8

Dov'è il gusto?

Un Maestro, in un giorno d'estate, offrì al suo migliore allievo una fetta di melone. Era buonissimo, maturo al punto giusto, succoso e fresco. Mentre l'allievo lo gustava con gran piacere, il Maestro gli chiese:

– Come ti sembra? Ha gusto?

– Oh sì, un gusto squisito! – rispose il discepolo con la bocca piena del delizioso frutto.

– Ma dov'è il gusto? Nel melone o nella lingua? – proseguì a interrogare il Maestro. L'allievo, che certo non si aspettava quella strana domanda, improvvisamente smise di masticare, sbarrò gli occhi e guardò il suo Maestro con aria interrogativa. Che domanda difficile...

Come rispondere? In effetti non ci aveva mai pensato...
– Mio buon Maestro, occorre che io rifletta molto prima di poterti rispondere. Già... Quanta parte del gusto di un cibo dipende da quel cibo e quanto invece dipende dalla nostra lingua? E nello stesso modo, per la buona riuscita di un incarico che ci hanno assegnato, quanto dipende dalla nostra abilità e quanto dalla difficoltà dell'incarico stesso? Per non parlare poi dell'amicizia! Già... In quale misura dipende da noi essere dei buoni amici e in quale misura invece dipende dagli altri? E con i nostri genitori? Quanto...

– Basta! – lo interruppe il Maestro con uno sguardo assai severo. – Perché complichi il tuo modo di pensare? Il melone è buono. Basta questo per spiegarne il gusto. La sensazione è piacevole: di che altro c'è bisogno?! **Le cose vere sono sempre molto semplici**.

9

Una pesca fruttuosa

C'era una volta, in un villaggio vicino a un lago, uno sfortunato pescatore che ormai da giorni e giorni non riusciva a pescare più nulla.

«Povero me» si diceva. «E poveri i miei figli! Come riuscirò a sfamarli? Che padre sono se non riesco a prendermi cura di loro?» si ripeteva tenendosi la testa fra le mani. «Se solo»... *Toc toc*, interruppe il suo pensiero qualcuno che bussava alla porta. Il pescatore si alzò dalla sedia e aprì.

Sulla porta comparve un vecchio, che così gli parlò:

– Salute a te! Sono molto stanco e sono in viaggio ormai da sette giorni. Non ho denaro con me e per questo ho percorso molta strada a piedi. Ti chiedo solo di poter riposare una

notte nella tua casa, prima di riprendere il cammino.
– La mia casa è la tua casa, vecchio! Siedi, ti prego – gli rispose allora mentre gli offriva una sedia. – E dissetati – proseguì mentre gli porgeva un bicchiere di vino.
Il vecchio accettò volentieri perché aveva molta fame e molta sete.
Quando il vecchio ebbe finito di bere, il pescatore, offrendogli il suo letto e l'unica coperta che possedeva, gli disse:
– Si è fatto tardi e vorrai certo riposare...
Il vecchio dunque si sdraiò, mentre il pescatore uscì nella notte per raccogliere alcuni rami di pino. Quando fu di ritorno accese il fuoco, affinché la stanza fosse abbastanza calda e il vecchio potesse dormire meglio.
Accortosi poi che in casa non c'era nulla da mangiare, nuovamente il pescatore uscì e si recò dal suo vicino per chiedergli in prestito una tazza di riso da offrire al suo ospite. Il vecchio ringraziò e mangiò il riso in silenzio, mentre il suo sguardo profondo e amorevole era fisso nello sguardo del pescatore.
Passò la notte e al mattino, quando si svegliarono di buon'ora, il

pescatore salutò il vecchio, dicendogli:
– Salute a te! Io devo uscire presto per gettare le mie reti in acqua, ma tu dormi pure quanto vuoi, prima di ripartire...
Ma, a gran sorpresa, il vecchio gli rispose:
– Vengo con te! Prendi la tua salamoia.
Arrivati sulle rive del lago, il vecchio prese la salamoia e la sparse nell'acqua, poi disse al pescatore:
– Prendi la tua barca a va' a pescare.
Scese dunque dalla barca e se ne andò.
Il pescatore, più stupito che mai, pensò che il vecchio fosse stato a sua volta pescatore in gioventù, poiché sembrava essere molto esperto in fatto di pesca. Obbedì e andò a pescare.
Come per incanto, i pesci entrarono sorridendo nelle sue reti e le sue ceste furono presto colme!
Il pescatore era felice come non lo era mai stato: ora i suoi figli avrebbero potuto mangiare, e anche lui e sua moglie avrebbero potuto finalmente sfamarsi!
E il miracolo si ripeté per tutti i giorni a seguire!

Nel cuore del pescatore il ricordo del vecchio era sempre vivo e spesso si domandava dove fosse e chi realmente fosse.
Una notte, in sogno, tutto gli fu mostrato chiaramente. Gli apparve il vecchio che gli disse:
– Ricordi quel giorno della tua più nera disperazione? Tu stavi per dire «Se solo potessi pescare anche per una sola volta tanto pesce da poter sfamare i miei figli per qualche giorno...». Ricordi? Poi sono arrivato io e, benché tu non avessi nulla, mi hai dato la tua sedia, il tuo letto, la tua unica coperta... Sei uscito nella fredda notte per me, hai raccolto la legna perché mi riscaldassi e hai chiesto in prestito per me del riso. Per me, non per te! Hai dimostrato di essere un uomo buono e generoso, **mi hai amato tanto e più di quanto tu abbia amato te stesso**. L'Universo ha ascoltato la tua preghiera e ti ha dato molto più di quanto tu abbia chiesto. Hai compreso perché? Perché tu non hai tenuto niente per te, ma lo hai condiviso con me.
Quella notte il pescatore *imparò* che **ogni pensiero viene ascoltato e ogni desiderio del cuore puro viene esaudito**.

Quella notte il pescatore *seppe* che **non abbiamo bisogno di trattenere niente, né di accumulare niente, perché se ci crediamo veramente abbiamo sempre ciò di cui abbiamo realmente bisogno**.
Quella notte il pescatore *compresse* che **la generosità viene ricompensata mille volte**.
E, mentre sognava, sorrise...

10

Il vento nel sacco

Una volta, in una torrida giornata d'estate, un Maestro disse al suo giovane allievo:
– Che caldo insopportabile! Va' a cercarmi del vento fresco sulla montagna qui di fronte e portamelo subito.
Il giovane allievo, dopo aver preso un grande sacco, si diresse verso la montagna che gli aveva indicato il suo Maestro.
Ma la giornata era calda, camminare in salita era molto faticoso e, dopo qualche ora di cammino, il giovane decise di fermarsi per riposarsi un po'. Si distese a terra e, senza neppure rendersene conto, scivolò in un sonno profondo.
Quando finalmente si svegliò era quasi notte.
– Oh povero me! – disse il giovane balzando in piedi. – Ho dormito tutta la giornata... come potrò ora portare a termine il compito che mi è stato affidato? Se torno a mani vuote il Maestro mi sgriderà! – e, nel dir questo, cominciò a camminare velocemente verso la cima della montagna.
Poi, però, decise di fermarsi a riflettere qualche istante, perché, si sa,

è proprio quando si è più agitati che occorre fermarsi per capire bene che cosa è meglio fare. Ed ecco! Un'idea magnifica si affacciò alla sua mente: prese il sacco, lo sistemò all'altezza del suo sedere... e cominciò a scoreggiare e scoreggiare e scoreggiare ancora, finché il sacco non fu pieno!

Quando ebbe finito, lo chiuse con una cordicella che si era portato appresso e, più veloce che poté, scese dalla montagna per tornare dal suo Maestro.

Arrivato che fu, consegnò il sacco al Maestro che lo accolse con una bella sgridata:

– Ma dov'eri finito? Sei in ritardo! Sono secoli che ti aspetto! Svelto, fa' uscire il vento che mi porti perché io mi possa rinfrescare...

– Va bene Maestro – rispose il giovane e, nel dir questo, aprì il sacco.
– Ma che puzza terribile! – si lamentò il Maestro.
Il giovane allievo, senza mostrare la minima preoccupazione, rispose prontamente:
– È per via del gran caldo... Stando dentro il sacco... anche il vento ha preso odore di chiuso!
– Ah – rispose semplicemente il Maestro, che non sembrava però ancora del tutto convinto. Ma infine aggiunse, con uno sguardo misterioso: – Ma sì, forse hai ragione tu: **ciò che l'Universo ha creato libero... non si può imprigionare**!

11

I due spiriti

In un giorno caldissimo, mentre si dirigeva verso un pozzo per dissetarsi, un giovane vide una fanciulla che con un secchio prendeva l'acqua.

– Saresti così gentile da darmi un poco d'acqua? – domandò cortese.

– Chi sei tu, viandante assetato? Non ti ho mai visto, non sei di questi luoghi – lo interrogò la giovane.

– Il mio nome è Ananda e in effetti son forestiero. Sono in cammino da molte ore e ho molta sete. Per questo ti sarei grato se tu potessi donarmi un poco dell'acqua del tuo secchio.

– Oh, lo vorrei davvero... – rispose la fanciulla con aria assai triste.

– Ma vedi... io sono povera e sporca, tu non puoi ricevere acqua dalle mie mani – proseguì.

– No, **tutti siamo una sola cosa e non c'è povertà o ricchezza che possa cambiare questa legge dell'Universo** – disse Ananda con una voce dolcissima.

La ragazza, allora, per la prima volta osò guardarlo negli occhi e vide che quel giovane era bellissimo, così bello che il cuore le si

fermò nel petto: mai aveva visto una luce così forte avvolgere una figura umana!
Cercò subito di scuotersi da quel turbamento e prontamente dispose le sue mani a coppa, le immerse nel secchio e le riempì di acqua fresca, che offrì al giovane uomo.
Ananda bevve, ringraziò la giovane per la sua gentilezza e riprese il suo cammino.
Il cuore della giovane batteva impazzito nel petto mentre lo sguardo non riusciva a staccarsi dalla figura, sempre più minuta, di quell'incantevole uomo che si allontanava... Era perdutamente innamorata!
Era così felice che corse a perdifiato verso la sua casa e appena entrata... – Mamma! – disse con voce affannata – Ho incontrato un giovane bellissimo e dall'animo così gentile come non ne esistono altri in questo paese! Oh mamma, sono innamorata! Voglio rivederlo al più presto, farlo innamorare di me e sposarlo!
La madre sorrise nel veder le gote della figlia arrossate più dall'emozione che dalla corsa.
– E chi è costui? – chiese.

– Non so nulla di lui, né chi sia né da dove venga. Conosco solo il suo nome: Ananda – e nel ripeterlo i suoi occhi luccicarono.
– Ananda? Il saggio Ananda? Ma è il discepolo di un grande Maestro, non ha scelto per sé la vita di un marito: figlia mia, non acconsentirà mai a sposarti! – disse con voce preoccupata la madre.
– Oh mamma, tu possiedi immensi poteri magici! Usali per me, te ne prego, una sola volta: fa' che Ananda mi ami!
– Non trovo giusto usarli per questo scopo. **L'amore deve nascere spontaneamente**. Accetta il consiglio di tua madre: dimentica questo amore! – proseguì la madre con tono severo.
– Meglio morire! – scoppiò a piangere la figlia.
A questo punto la donna ebbe pena della disperazione di sua figlia e acconsentì a usare i suoi poteri per far innamorare Ananda.
– Aiutami a trovare tutto ciò che serve per preparare questa pozione magica. Quando avrò finito il mio rito, Ananda si innamorerà di te – disse la donna.
La ragazza smise subito di piangere, abbracciò forte sua madre, la ringraziò e si mise immediatamente alla ricerca di quanto serviva.

Quando tutto fu pronto, venne acceso il fuoco e dentro un grande calderone vennero gettati tutti gli ingredienti, mentre la mamma-maga danzava intorno al fuoco pronunciando parole incomprensibili. Di lì a poco tutta la stanza fu piena di fumo, al punto che non si vedeva più nulla. A un certo punto dal calderone si alzò un'altissima fiammata, cessata la quale, proprio al centro della stanza, comparve Ananda.

Il giovane era stordito e non riusciva a capire come fosse arrivato lì. Non conosceva quella casa e quella donna, ma la giovane donna che gli veniva incontro con gli occhi lucidi... sì: era la ragazza del pozzo! Prima che Ananda avesse tempo di domandare qualcosa...
– Io ti amo! – gli disse la ragazza. – Ti prego, fammi diventare tua moglie – e nel dirgli questo lo abbracciò. Ananda ricambiò

l’abbraccio perché la fanciulla era molto bella.
In quello stesso momento, a una grande distanza, il Maestro di Ananda si accorse della sua sparizione ed essendo anch’egli in possesso di poteri, con la forza del pensiero lo fece ritornare al palazzo in cui Ananda abitava. La ragazza, essendo rimasta abbracciata a lui, lo seguì ma, poiché era straniera, non poté entrare nel palazzo. Passarono così molte ore nelle quali la ragazza attese pazientemente che il suo amato uscisse.
Essendo in contatto con il Tutto, il Maestro sapeva che la ragazza stava aspettando fuori, così decise di uscire per parlarle.
Appena lo vide, la giovane gli si parò davanti e gli sbarrò il passo.
– Cosa vuoi? Dove stai andando? – le chiese il Maestro.
– Mi hai ripreso Ananda, voglio vederlo e diventare la sua sposa perché lo amo! – quasi gli gridò la ragazza.
– Perché lo ami? Sai dirmi cosa ami di lui?

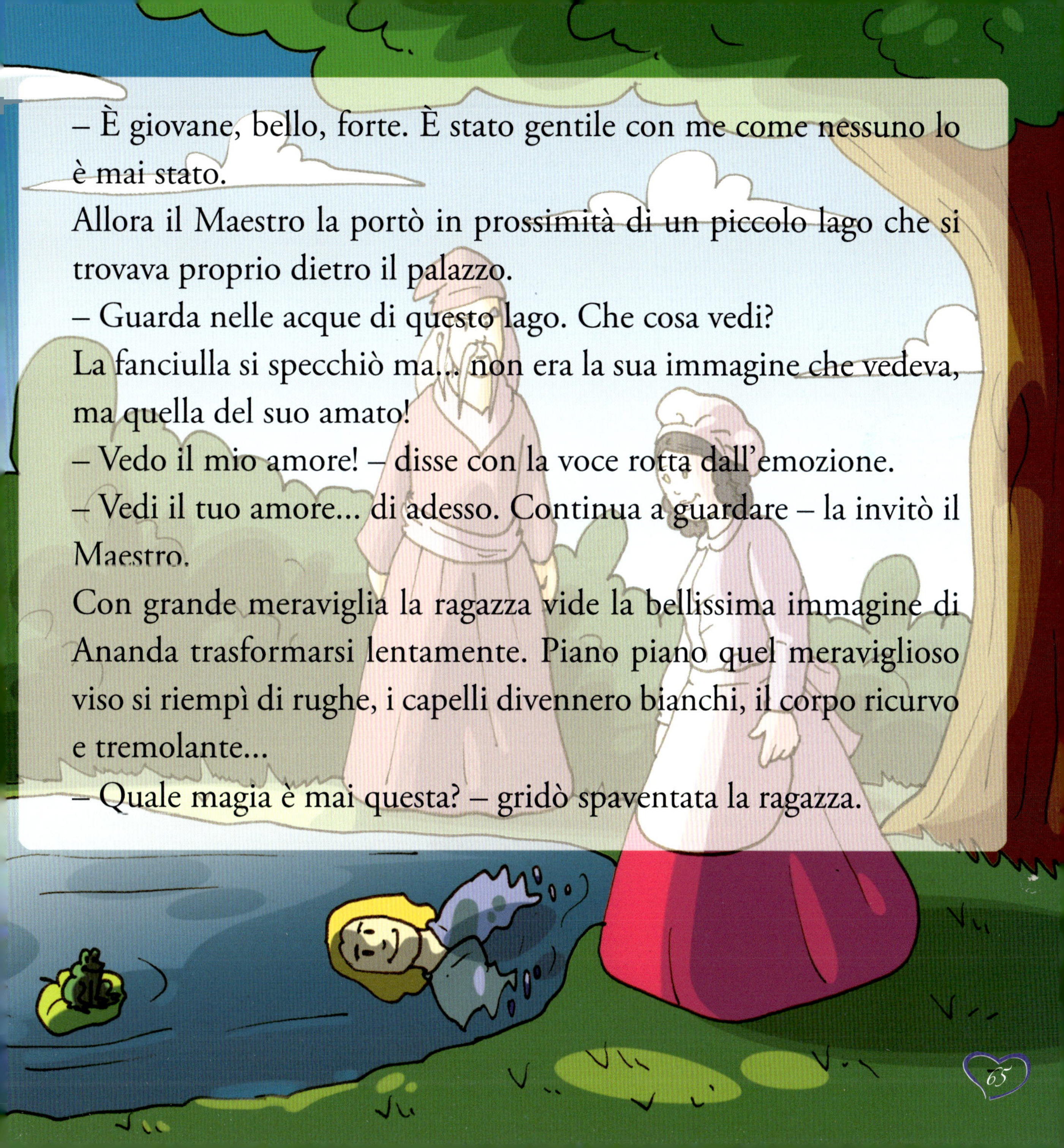

– È giovane, bello, forte. È stato gentile con me come nessuno lo è mai stato.

Allora il Maestro la portò in prossimità di un piccolo lago che si trovava proprio dietro il palazzo.

– Guarda nelle acque di questo lago. Che cosa vedi?

La fanciulla si specchiò ma... non era la sua immagine che vedeva, ma quella del suo amato!

– Vedo il mio amore! – disse con la voce rotta dall'emozione.

– Vedi il tuo amore... di adesso. Continua a guardare – la invitò il Maestro.

Con grande meraviglia la ragazza vide la bellissima immagine di Ananda trasformarsi lentamente. Piano piano quel meraviglioso viso si riempì di rughe, i capelli divennero bianchi, il corpo ricurvo e tremolante...

– Quale magia è mai questa? – gridò spaventata la ragazza.

– Non è una magia... è il tuo futuro – le disse il Maestro.
– Il mio futuro? – disse la ragazza che non aveva compreso.
– È Ananda l'uomo che vedi. Non sarà sempre giovane come ora. Se lo sposi, questo è l'uomo accanto al quale dormirai fra qualche tempo. **La bellezza passa, l'Amore va oltre la bellezza e sa vederla anche quando essa non c'è più. L'Amore sa vedere la bellezza del cuore, non si lascia ingannare dal passare del tempo. L'Amore è il Tutto e sopravvive a ogni evento**. Tu ami Ananda di questo tipo di amore? – domandò il Maestro.
– Non so risponderti, Maestro... Dentro di me ci sono due spiriti: una parte è spaventata dall'idea di veder invecchiare il mio amato, di vedere la sua e la mia bellezza sfiorire, temo il momento in cui il mio amato non sarà più così forte e... non avevo mai pensato che un giorno dovrà anche morire! L'altra parte, invece, sente che sarebbe bellissimo saper amare come tu mi hai mostrato: oltre la forma e oltre il passare del tempo e, forse, anche oltre la vita... In questo momento la mia mente è così confusa... – concluse, sinceramente, la giovane.
Il Maestro la guardò a lungo senza parlare.

Poi, mentre si allontanava lentamente, si girò verso la giovane donna e le disse:
– Medita, fino a che non lo saprai profondamente, e ricorda: **non puoi perdere ciò che non è tuo**. Non può esserti portato via ciò che è tuo... – Le rivolse un ultimo sorriso e se ne andò.
La giovane donna rimase nei pressi del lago per sette ore a pensare e pensare. Poi, improvvisamente, capì: non si può ottenere l'Amore grazie a una pozione magica, aveva ragione sua madre. **Chi ci ama deve saper riconoscere da lontano il battito del nostro cuore**.
Il suo cuore aveva battuto forte quando aveva incontrato quello di Ananda, chissà se anche per lui era stato lo stesso? Non glielo aveva chiesto...
«Verrà a cercarmi lui se, e quando, anche il suo cuore batterà sentendo da lontano il mio...» pensò infine.
E così, con la pace nella mente e l'Amore nel cuore, si incamminò verso casa.
Dalla finestra del palazzo, il Maestro sorrideva...

12

L'abito di splendide piume

C’erano una volta, proprio vicino al monte Fuji, meravigliose foreste di pini che arrivavano fino alla spiaggia candida. Di fronte alla spiaggia si apriva un mare azzurrissimo. Era quello un luogo di rara bellezza, in cui i cinque elementi della natura (aria, acqua, terra, fuoco ed etere) vivevano in un’armonia perfetta.

In quel luogo d’incanto, viveva, nel tempo di cui andiamo a parlare, un pescatore chiamato Hakyu-Ryu, ossia Drago Bianco.

Hakyu-Ryu era povero e la sua pesca era sempre assai scarsa. In un bel giorno di primavera, passando proprio nella foresta di pini, trovò un vestito impigliato in un ramo.

Era un abito splendido intessuto di piume variopinte.

«È davvero uno splendido vestito» si disse il pescatore. «Potrei prenderlo e venderlo domani al mercato. È così bello e prezioso che sicuramente ricaverei una bella somma! So che rubare non è una cosa ben fatta, ma io sono povero e in questo modo potrei finalmente avere un po' di soldi». Così si convinse, prese il vestito e lo portò a casa.

Durante la notte, mentre dormiva, gli apparve in sogno una bellissima ragazza che gli disse:

– Sono un angelo venuto dai cieli a visitare questo mondo. Tu hai preso il mio vestito e l'hai portato con te e io non posso tornare in cielo senza di esso. Restituiscimelo, per favore...

Il pescatore rispose... – Ti sbagli, qualcun altro ha rubato il tuo vestito, non io. Mi dispiace tanto per te... – e, prima di finir la frase in sogno, si svegliò. Era molto agitato e sentiva dentro il suo animo di aver commesso un'azione che non gli faceva onore. Ma era un uomo saggio e sapeva che, **quando un uomo sente che il suo cuore non è contento, deve dargli ascolto** e comportarsi in modo che esso sia sempre felice.

– Proprio così! – tuonò una voce nel silenzio completo della stanza. Il pescatore balzò nel suo letto: chi c'era in casa sua? E come poteva sapere a che cosa stava pensando?
– So tutto di te – proseguì la voce come se potesse rispondere alla domanda che lui aveva solo pensato. – Sono il tuo cuore e non sono felice dell'azione che hai commesso. Hai rubato un vestito e in più hai mentito a un angelo. Due errori in una sola azione! Tu sai, come io so, che **ogni azione reca una conseguenza**... non credi che da questa azione poco onorevole non possa che derivare del male per te e quindi anche per me?
Il ragionamento del cuore era perfetto e molto saggio: aveva ragione lui! Bisognava trovare quella creatura angelica e restituirle il vestito affinché potesse tornare a casa.
Il mattino seguente il pescatore si recò sulla spiaggia e trovò la fanciulla in lacrime sotto un pino.
– Ho io il tuo vestito, eccolo... – le disse colmo di dispiacere. – Ti chiedo perdono se ti ho mentito e anche se ho preso il tuo vestito... ma sono molto povero e speravo, vendendolo... Ma ora non im-

porta. Non posso vendere ciò che non mi appartiene – e nel restituire quanto non era suo si sentì colmo di gioia.
Il sole stava appena sorgendo e la giornata si annunciava bellissima.
L'angelo si sollevò in una danza celestiale sulla via del ritorno al cielo.
– Non preoccuparti, da ora non sarai più povero...
Ma chi aveva parlato? L'angelo? Un'altra volta il suo cuore?
Talmente bella ed emozionante era quella danza angelica che... il pescatore non lo sapeva!
Ma da quel giorno, ogni volta che usciva in mare, tornava a casa con le reti piene di pesci.
– **C'è sempre il modo di ottenere abbondanza partendo da quello che si ha**...
Ma chi ha parlato ora?! Il cuore? L'angelo?...
Chissà...

13

Le bambole

C'era una volta un Maestro che girava per i villaggi più poveri a istruire tutti quelli che lo desideravano, grandi e piccoli. Nel tempo di cui parliamo, infatti, c'era molta povertà e quasi nessuno sapeva leggere o scrivere, poiché ogni bambino, già da quando aveva pochi anni, doveva recarsi a lavorare. Un giorno questo generoso Maestro arrivò nel villaggio in cui viveva Hotan, un bambino molto intelligente che fino a quel momento, però, non era mai andato a scuola.

Subito nel villaggio ci fu molta agitazione e una grande felicità: finalmente chi lo desiderava avrebbe potuto imparare! Le lezioni del Maestro erano frequentate da molte persone: sembrava che tutti volessero imparare a leggere e a scrivere! Il Maestro era molto soddisfatto.

«Tra poco tempo questi bambini sapranno leggere e quindi potranno sapere che cosa accade nel resto del mondo» pensava sorridendo fra sé. «Potranno leggere gli insegnamenti degli Uomini Saggi e, riflettendo su di essi, divenire essi stessi Uomini Saggi»...

Perché questo è quello che ogni Maestro sogna per i suoi allievi.
Con il cuore colmo di gioia, ogni mattina, il Maestro si presentava nell'aula per impartire le sue lezioni.
Ma fu la Vita a dare al Maestro una grande lezione...
Col passare dei giorni, gli allievi diminuirono e diminuirono, fino a che, un giorno, rimasero solo il Maestro e Hotan.
Il Maestro ne era molto dispiaciuto.
– Non posso tenere una lezione solo per te – disse avvicinandosi a Hotan.
– Ti prego Maestro, dammi un giorno, un solo giorno, e ti prometto che domani avrai un folto pubblico che vorrà assistere alle tue lezioni!
Il Maestro volle avere fiducia nell'unico allievo che gli era rimasto.
Il mattino seguente, molto prima che iniziasse la lezione, Hotan si recò in aula. Dopo qualche tempo anche il Maestro arrivò e... lo stupore gli impedì di parlare: su ogni sedia che il giorno prima era vuota sedeva... una bambola sorridente! C'erano bambole bionde, more, coi capelli ricci, bambole di pezza, bambole costruite con

paglia e foglie seccate... tante bambole silenziose che sembravano guardare il Maestro e voler dire: «Siamo pronte, ti ascoltiamo».
In fondo all'aula, l'unico allievo di sempre, Hotan, che con gli occhi lucidi e un magnifico sorriso guardava il suo Maestro sperando che presto iniziasse a parlare.
– Puoi tenere la tua lezione, oggi. Ho con me una compagnia numerosa! – disse pieno di entusiasmo il ragazzo.

Il Maestro obiettò:
– Ma sono solo bambole!
– Infatti! – proseguì Hotan senza scoraggiarsi. – Tutti quelli che sono venuti qui non valgono più di queste bambole, perché non hanno capito l'importanza e la preziosità delle cose che

insegni, e infatti non sono più venuti alle tue lezioni... Solo io l'ho capito, dunque qui ci sono solo io. Avresti preferito un'aula piena di gente che non si interessa a quello che dici? In questo caso, che differenza fa per te insegnare di fronte a un'aula piena di bambole?
Il Maestro fu commosso dalle parole di quel ragazzo e capì che Hotan voleva davvero imparare. Tornò al suo posto e... – Dove eravamo rimasti ieri? – disse, cominciando la sua lezione.
Quel giorno la Vita fu Maestra del Maestro!
Quel giorno la Vita insegnò al Maestro che **quando c'è anche solo un allievo che desidera imparare, è giusto che ci sia un Maestro a insegnare**.
Ma secondo voi: chi era stato quel giorno il Maestro? E chi l'allievo?

14

Le due rane

In un'estate di molti anni fa, una terribile siccità si abbatté su gran parte delle terre che conosciamo. Non essendoci più acqua, molte piante seccarono, gli uomini percorrevano grandi distanze per cercarla e anche per gli animali era una grossa sofferenza.
In questa storia si racconta di due rane che, avendo bisogno per loro natura di molta acqua e non potendo più sopportarne la mancanza, decisero di porre rimedio.
Una di esse abitava a Kioto. «Mi metterò in cammino, lascerò il mio paese e mi recherò fino a Osaka... lì certamente la siccità non sarà arrivata, avrò tutta l'acqua che voglio e vivrò felice!» pensava la rana di Kioto.
Così dicendo iniziò il suo lungo cammino verso Osaka.
Nello stesso momento a Osaka, città colpita anch'essa dalla terribile siccità, una rana pensava: «Mi metterò in cammino, lascerò il mio paese e mi recherò fino a Kioto... lì certamente la siccità non sarà arrivata, avrò tutta l'acqua che voglio e vivrò felice!». E così dicendo iniziò il suo lungo cammino verso Osaka.

Verso la metà del loro cammino, in prossimità di un monte, le due rane si incontrarono.
– Salute a te! Dove stai andando? – disse la rana di Kioto rivolta alla rana di Osaka.
– Salute a te! Sto andando a Kioto per sfuggire alla terribile siccità.
– Povera sorella mia... – disse allora la rana di Kioto. – È da lì che arrivo io! Kioto non ha più un solo filo d'acqua, per questo sono partita. Il tuo viaggio è vano! Unisciti a me, andiamo insieme a Osaka, lì mi sto recando anch'io! Certamente la grande siccità non l'avrà colpita!
– Povera sorella mia! – disse disperata la rana di Osaka. – Sai da dove provengo io? Proprio da Osaka! Anche lì non c'è un solo filo d'acqua!
Le due rane si guardarono sbalordite e una grande rabbia salì dentro di loro. Dopo tanto faticoso cammino... non avevano risolto nulla!
– Ma allora Kioto è come Osaka! – gridò la rana di Osaka, e nello stesso momento quella di Kioto urlò: – Ma allora Osaka è come Kioto!
Si girarono tutte e due verso la direzione da cui erano venute... e ciascuna tornò a casa propria.

Prima di ripartire, però, le due rane si guardarono intensamente e, in un solo momento, fu chiaro al loro cuore il vero motivo del loro incontro:

– È stata una fortuna averti trovata sul mio cammino, sorella di Osaka – disse la rana di Kioto. – Grazie a te ora so che il mio viaggio sarebbe stato lungo, faticoso e... inutile! Userò le forze che mi restano per tornare a casa.

– Lo stesso farò io, sorella di Kioto. L'averti incontrata mi ha fatto comprendere dov'è il mio posto.

A volte, andando via, si ritrovano le stesse difficoltà da un'altra parte... A volte conviene restare e metter tutto il proprio impegno per risolverle e, una volta risolte... non torneranno più.

15

La campanella, il mostro, la grande campana

C'era una volta un uomo che se ne andava in giro per il mondo per conoscere nuovi amici.
Aveva l'abitudine, questo avventuroso viandante, di portare con sé un lungo bastone, in cima al quale aveva attaccato una campanella.
«Così nei villaggi per i quali passerò tutti saranno avvisati del mio arrivo. Chi vorrà conoscermi non dovrà fare altro che avvicinarsi» pensava l'uomo.
Era ormai sera quando arrivò in un piccolo villaggio. Gli abitanti non erano abituati a ricevere ospiti perché il luogo in cui vivevano era molto isolato e lontano dai sentieri percorsi dai viaggiatori. Inoltre nessuno si sarebbe mai recato lì, perché si diceva che nei pressi del villaggio ci fosse il Tempio della Paura, luogo in cui abitavano mostri terribili in grado di soffocare chiunque si fosse avvicinato alla loro dimora.
Ma il nostro viandante proveniva da un luogo molto lontano e non conosceva questa credenza... quindi entrò tranquillamente nel villaggio come faceva di solito per ogni posto che visitava.

Bussò alla prima casa del villaggio in cerca di ospitalità...
– Buona sera, sono un viaggiatore giunto fin qui per conoscere nuovi amici. Sono molto stanco e affamato, è ormai sera e ti chiedo di ospitarmi nella tua casa per questa notte – domandò al giovane uomo che gli aprì la porta.
– Sei molto sporco, non ti conosco e non so se sei un brav'uomo. Non ti lascerò entrare nella mia casa. Prova a chiedere a qualcun altro... – e, così dicendo, chiuse subito la porta.

Il viandante fu molto stupito e molto dispiaciuto... quell'uomo sembrava avere una grande paura... Ma di che cosa? Lui non aveva altro che il suo bastone tintinnante con sé...
Ma era di buon carattere e non si scoraggiò.
Bussò alla seconda casa del villaggio:

– Buona sera, sono un viaggiatore giunto...
– Vattene di qui, sei sporco, non ti conosco! – quasi gli urlò una donna sbattendogli la porta in faccia.
«Cosa mai è accaduto a questa gente? Perché vengo trattato con tutta questa scortesia?» si domandava il viandante amareggiato...
Ma una volta ancora volle avere fiducia nel successivo incontro e bussò alla terza porta.
– Non voglio fare alcun male... – disse non appena un bambino aprì la porta. – Voglio solo chiedere riparo per la notte. Vorrei parlare con tuo padre.
Il bambino esitò a lungo prima di parlare, poi si decise e disse:
– Mio padre non è qui e quindi io non posso farti entrare... però se vuoi puoi dormire al Tempio della Paura, lì nessuno entra mai.
– E dove si trova il Tempio di cui mi parli? – domandò con rinnovata speranza il viandante.
– È proprio alla fine del villaggio... Dopo l'ultima casa procedi verso il bosco, lì lo troverai, non puoi sbagliare. Ora però devo andare... buona fortuna – disse in fretta il bambino prima di rivolgere un sorriso e chiudere lentamente la porta.

– Aspetta ragazzo! Io andrò lì, ma, se senti suonare la grande campana, chiama gli abitanti del villaggio e venite a vedere che cosa succede... – disse con voce alta dietro la porta ormai chiusa, in modo che non solo il bambino ma anche gli altri potessero sentire.
L'uomo dunque si recò tristemente al Tempio della Paura, facendo tintinnare il suo bastone, comprendendo che in quel viaggio nessuno avrebbe parlato con lui, non avrebbe conosciuto nuovi amici... Ma da qualche parte doveva pur passare la notte e così, giunto in prossimità del Tempio, entrò.
Entrò nella prima stanza, trovò in terra un vecchio tappeto che sapeva di muffa e vi si raggomitolò sopra. Era così stanco per il lungo cammino che si addormentò subito.
Verso mezzanotte fu svegliato da un baccano fortissimo: accanto a lui un corpo gigantesco a forma di palla agitava mani e piedi.
Senza lasciarsi spaventare, con molta determinazione l'uomo gridò:
– Chi sei tu?
– Sono la teiera del tempio – tuonò una voce che usciva dalla grande palla. – Tu, piuttosto, chi sei? – lo interrogò.

– Sono un viaggiatore a cui tutti nel villaggio hanno rifiutato un pasto caldo e un letto. Per questo mi trovo qui.
D'improvviso tutti gli oggetti intorno a lui diventarono enormi, si misero a danzare e gli andavano incontro come se volessero catturarlo.
L'uomo combatté contro di loro per tutta la notte, fino a che durò il buio.
Al canto del gallo, quando ormai la luce stava spuntando, la teiera allentò la presa e fuggì via.
Il viandante, esausto per il gran combattimento, rimase solo nella stanza e improvvisamente scoppiò a ridere, ma a ridere così forte che non riusciva a fermarsi.
– Ho capito! Ho capito! – diceva tutt'a un tratto pieno di forza e di allegria.
Corse a suonare la campana. Gli abitanti del villaggio, stupiti che l'uomo che era entrato nel Tempio della Paura fosse ancora vivo, corsero da lui.
Il viandante li attendeva con una teiera in mano.
– Ecco il vostro mostro! Lo vedevate enorme perché si rifletteva negli specchi. In realtà, come vedete, non è affatto un gigante! E

poi, appena è comparsa la luce del giorno, ha avuto paura ed è scappato!
– Che dice questo straniero? La Paura... che ha paura?!
– Ho capito! – disse una voce sottile che proveniva dal basso... era il bambino. – Tu hai parlato con il gigante della teiera, hai combattuto con lui e hai mostrato la tua forza... poi hai smesso di combattere perché a quel punto vi conoscevate, ognuno di voi sapeva quanto è forte l'altro. Quindi non avevate più paura l'uno dell'altro. E poi con la luce la paura è svanita... perché **la luce permette di vedere tutto, in ogni angolo**!
Tutti si voltarono in silenzio verso il bambino: grazie alle sue parole semplici e chiare avevano capito tutto...
Un uomo disse:
– Questo ragazzo ha ragione! **Non abbiamo più bisogno di avere un Tempio della Paura.** Trasformiamolo! Ristrutturiamolo e **facciamolo divenire... un Tempio della Gioia**!
Tutti furono subito entusiasti dell'idea. Gli uomini corsero nelle case a prendere assi di legno, martelli, vernici, pennelli...
Le donne iniziarono a cucire le tende per le finestre, a preparare

lenzuola, piatti, bicchieri da portare al Tempio della Gioia.
Lavorarono per tutto il giorno e a sera il bosco vide stagliarsi fra le sue fronde una casa bianca, con le porte azzurre come il colore del cielo.
Al suo interno tutto era nuovo, coloratissimo, lo spazio era molto accogliente. Al centro di un grande tavolo c’era la teiera, scelta come simbolo perché tutti si potessero ricordare come era nato il Tempio della Gioia.
A sera fecero una grande festa con musica e danze… solo una cosa mancava: una bella insegna sul tempio. Fu il bambino a dipingerla… e scrisse così: – Tempio della Gioia e dell’Amicizia.

Poi, a lato della porta, volle attaccare una targa su cui scrisse: – *Qui dimorò il viandante che danzò con la Paura e la fece fuggire. Per sempre.*

16

Comprendere per intuizione

C'era una volta un re che aveva un lungo seguito di servitori. Ogni volta che desiderava qualcosa diceva:

– Quello!

«Quello» era il sale, la frutta, l'acqua, il cavallo da sellare... qualunque ordine impartisse usava sempre e solo questa parola.

– Quello – e i suoi servitori gli porgevano la frutta...

– Quello – e gli versavano l'acqua fresca nel bicchiere...

– Quello – e il suo magnifico cavallo purosangue veniva sellato.

Ogni volta il linguaggio del re era in perfetta armonia con quello dei suoi servitori. E se, qualche volta, al comando «Quello» lo stalliere conduceva dal re il cavallo, mentre egli aveva chiesto il suo mantello... commetteva un grave errore e veniva invitato ad ascoltare con maggiore attenzione.

Ma com'è possibile distinguere tra un comando e un altro se la parola è sempre la stessa?

Per i servitori del re era facile perché sapevano che **spesso basta affidarsi semplicemente all'istinto**.

Essi tenevano alta la loro attenzione e il loro cuore collegato con quello del re... e **quando i cuori sono collegati si intuisce in modo naturale di che cosa ha bisogno un altro**.

In quel regno tutti si comprendevano profondamente.

In quel regno il più grande sovrano... era la Pace.

17

L'uccello a due teste

C'era una volta un uccello con due teste e un corpo: la testa di destra era sempre affamata ed era molto abile nella ricerca del cibo; la testa di sinistra, pur essendo anch'essa molto ghiotta e spesso affamata, era maldestra e non era capace di procurarsi il necessario nutrimento. Così mentre la testa di destra si nutriva sempre a sazietà, quella di sinistra era tormentata costantemente dai morsi della fame.
Per mettere fine alle sofferenze che l'affliggevano, un giorno la testa di sinistra disse a quella di destra:
– Qui vicino cresce un'erba dal sapore prelibato. Ti piacerebbe moltissimo, se vieni con me ti mostro dove nasce e ne potrai mangiare quanta vorrai!
In realtà, la testa di sinistra sapeva benissimo che quell'erba era velenosissima e che, se la sua compagna l'avesse mangiata, sarebbe morta dopo pochi secondi.
«Quando lei morirà io potrò finalmente mangiare tutto ciò che voglio!» si disse fra sé mentre conduceva se stessa e la compagna verso quell'erba.
Arrivate che furono, come sempre faceva, la testa di destra si mise a

mangiare di gran gusto l'erba velenosa che aveva un buonissimo sapore.

Dopo pochi minuti, però, il veleno cominciò a fare effetto, la testa di destra si piegò da un lato e smise di respirare. Ma il terribile veleno non si fermò... e invase tutto il corpo dell'uccello a due teste! Quando tutto il corpo ne fu colmo, il veleno risalì lungo la testa di sinistra e la uccise.

Giaceva morto in terra, l'uccello a due teste... quando passò di lì un potente mago.

Vedendo quell'animale rarissimo, decise di ridargli la vita:

– Povero, sciocco uccello! – disse il mago. – La tua stupidità ti ha ucciso.

Nel dir questo lo prese fra le mani e cominciò ad accarezzargli le piume. Come per incanto, molto lentamente, la testa di sinistra aprì un occhio e dopo pochi minuti fu completamente sveglia. Nel guardare la testa di destra ancora immobile, però, fu presa da un enorme sconforto, cominciò a piangere e a piangere così forte che non riusciva più a fermarsi...

– Sorella mia, che cosa ho fatto?! – diceva disperata la testa di sinistra.

Le lacrime cadevano copiose sulla testa di destra che, proprio grazie al loro calore, si risvegliò.

– Perdonami sorella mia! – continuava a piangere la testa di sinistra.

– Perdonami!

Quel giorno la testa di sinistra capì perché lei e sua sorella avevano un corpo solo: **esse erano unite nel loro destino e, invece che scontrarsi, avrebbero dovuto imparare ad aiutarsi, ad accettarsi per quello che erano, anche per le loro diversità.**

La testa di destra però amava sua sorella. La guardò, le sorrise: aveva perdonato.

18

Qualche petalo sul pavimento

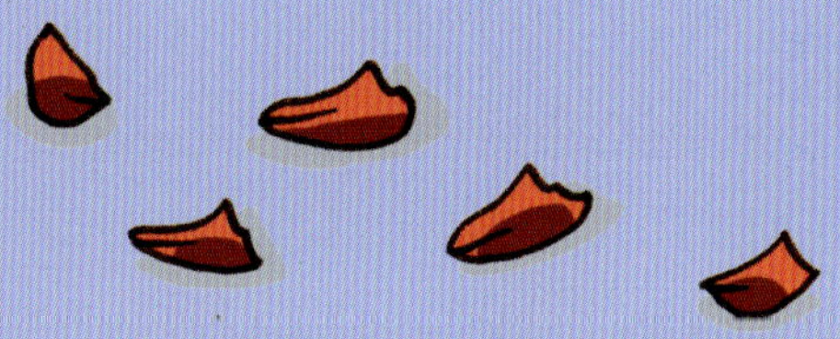

Un giorno, un ragazzo che aveva circa la tua età decise di andare a trovare il suo Maestro. «Gli porterò in dono dei fiori, so che gli piacciono tanto!» pensava, eccitato all'idea che il suo Maestro ne sarebbe stato contento.
Andò dunque al mercato, scelse i fiori più belli e più profumati che trovò, si fece confezionare il mazzo con cura e si avviò verso la casa del Maestro.
Quando arrivò davanti alla casa, bussò e attese che da dentro qualcuno rispondesse. Era così felice per questo incontro che, non appena il Maestro aprì la porta e lo fece entrare, per l'emozione, tutti i fiori gli caddero dalle mani. E tutto d'un colpo... tutti i petali si staccarono dagli steli!
Il giovane era confuso e mortificato, divenne tutto rosso e si scusò col Maestro, che sorridendo gli rispose:
– Entra e siediti.
Il ragazzo obbedì. Il Maestro allora prese un vaso, lo riempì d'acqua, lo pose al centro della stanza e vi collocò gli steli dei fiori.

Poi raccolse tutti i petali che erano caduti, li sparse con gran cura sul pavimento di tutta la stanza, che fu subito ravvivata da quella pioggia di colori! Tutto era così bello, naturale, semplice...
Allora il Maestro disse al suo giovane allievo:
– Quando tu mi hai portato questi fiori, i petali erano attaccati agli steli. **Ogni fiore stava vivendo una fase della sua vita, una fra le tante fasi della vita, come accade a ogni essere vivente**. Ora ogni fiore ha deciso di vivere la fase successiva della sua vita. Ogni petalo si è staccato e si è lasciato cadere.

– Me ne dispiace molto Maestro, avrei voluto che questi fiori rallegrassero col loro profumo e col loro colore la tua casa... – disse il ragazzo con un'aria davvero triste.
– E cosa pensi che stiano facendo? – sorrise il Maestro,

mostrando con la mano il pavimento da cui si levava un fragrante aroma e su cui sembrava fosse stato dipinto l'arcobaleno. – Questi fiori stanno rallegrando la mia casa, in un modo diverso da quello che ti aspettavi... ma a me piace molto di più perché essi non occupano solo un angolo di questa stanza, ma la occupano tutta! – proseguì il Maestro. – Impara che **nulla rimane così come lo vediamo, tutto cambia la sua forma, quel che non cambia è la vera sostanza delle cose**. Un fiore continua a rimanere un fiore anche quando i suoi petali si sono staccati... e **questo accade a ogni forma di vita**.

Il Maestro chiuse gli occhi per lasciare che il delizioso profumo che proveniva dal pavimento entrasse nelle sue narici.

Il ragazzo fece la stessa cosa, per lasciare che la bella sensazione che provava in quel momento raggiungesse il suo cuore.

Rimasero in silenzio, nella stanza piena di vita, il ragazzo e il suo Maestro...

19

Il figlio mendicante

C'era una volta il figlio di un ricco proprietario di terre che decise di abbandonare la casa di suo padre per vivere in giro per il mondo. «Chiederò l'elemosina e chi potrà mi darà qualcosa da mangiare o un riparo per la notte» si disse il giovane il giorno in cui partì.

E così visse per molti e molti anni.

Ma un giorno il destino volle che il ragazzo, ormai divenuto un uomo, si trovasse davanti alla splendida casa di suo padre. Guardando quella casa lussuosa gli venne voglia di fuggire di nuovo perché desiderava vivere in libertà, non voleva possedere nulla.

Il padre però, sbirciando da dietro le tende di una finestra, lo riconobbe e subito il suo cuore si riempì di gioia.

– Mio figlio è tornato da me!

Questo è il giorno più bello della mia vita! – disse mentre lacrime di gioia e commozione scivolavano silenziose sul suo volto.
Tuttavia sapeva, conoscendo molto bene suo figlio, che probabilmente si sarebbe vergognato di mostrarsi a lui con abiti così poveri e sporchi, così gli venne un'idea: ordinò al più fidato dei suoi servi di indossare un vestito vecchio e sporco, di seguire suo figlio, chiedere anch'egli l'elemosina e dividere il poco cibo offerto dai passanti con lui.
A poco a poco fra i due uomini cominciò a nascere una profonda amicizia: stavano sempre insieme, chiedevano l'elemosina insieme e insieme mangiavano quel poco che la gente offriva loro. **Impararono, col passare dei giorni, che la vera Amicizia è come se una sola Anima vivesse in due corpi**.
A poco a poco il servo divenne la guida e il figlio del ricco proprietario lo imitava in tutto quello che faceva.
Così qualche tempo dopo il servo disse:
– Sono stanco di fare questa vita, voglio un lavoro e una casa. Andrò nella grande casa sulla collina a chiedere se c'è bisogno di un servo. Vieni con me.

In realtà quella era la casa del ricco proprietario di terre, la casa di quello che era già il suo padrone!
L'amico lo seguì e si fece assumere come garzone nella casa di suo padre. Aveva il compito di assistente di cucina e svolgeva i lavori più umili.
Passò qualche tempo e gli fu permesso di diventare un servitore particolare della famiglia. Fu così che piano piano si abituò alla ricchezza della casa in cui abitava.
Il padre, da lontano, osservava la trasformazione di suo figlio giorno dopo giorno. Quando valutò che fosse passato abbastanza tempo, lo mandò a chiamare e gli chiese:
– Ti trovi bene nella mia casa?
– Non è stato facile per me abituarmi a tanta ricchezza, ma oggi sto molto bene nella tua casa – rispose il figlio-servo.
– Quel che dici mi riempie il cuore di felicità – disse il padre mentre un grande sorriso si stendeva sul suo volto. – Tu non mi hai riconosciuto, ma io non ho mai potuto scordare il tuo viso! Tu sei mio figlio! Questa è la tua casa e un giorno tutto quello che ho sarà tuo, se lo vorrai.

Nel dir questo tese le braccia verso il figlio, che quel giorno capì che **l'amore di un padre verso suo figlio è come una stella che brilla nel cielo: non si spegne mai**!

20

Il cinese felice

C'era una volta un cinese che viaggiava per tutto il mondo portando sulla sua spalla un sacco pieno di caramelle, dolciumi e giochi di ogni tipo.
Quando arrivava in un nuovo paese, si recava nella piazza principale, posava il suo sacco e… iniziava a ridere, ridere a crepapelle!
Allora la gente iniziava a ridere di lui. Alcuni pensavano: «È arrivato un matto!» e andavano a chiamare gli amici perché lo vedessero.
Così ogni volta intorno al cinese felice si formavano folle di persone.
E lui rideva e rideva senza preoccuparsi di quel che gli accadeva intorno. Piano piano, standogli vicino, le persone cominciavano a ridere, prima sommessamente, poi sempre più forte perché, si sa, **la risata è più contagiosa di tante malattie**! Dopo un po' tutta la piazza era un'esplosione di risate, si creavano delle onde di risate che partivano da lì e si diffondevano per tutte le vie del paese.
Piano piano le persone non ridevano più *di* lui… ma ridevano *con* lui.

E mentre tutti ridevano, il cinese felice apriva il suo sacco e distribuiva tutti i dolciumi, le caramelle e i giocattoli che aveva portato con sé.

Li regalava non solo ai bambini, ma anche agli adulti e perfino ai vecchi. Li regalava a coloro che, sentiva, avevano dimenticato quanto è bello ridere e quante cose meravigliose ci sono in questa vita.

– Prendete, prendete... – diceva il cinese felice con le mani piene di doni.

– Come mai sei così felice? – gli domandò un uomo.

– Perché **regalare una risata a un altro mi rende immensamente felice**! Ridere con te mi rende immensamente felice! E quando avrò vuotato il mio sacco e avrò reso felici molte persone anche coi miei doni... sarò l'uomo più felice del mondo!

– Non capisco... quando avrai vuotato il tuo sacco non avrai più niente: come potrai essere felice? – ribatté l'uomo stupito.

Il cinese felice si avvicinò a lui...

– E a cosa mi serve possedere delle cose? Sono vecchio, fra qualche

tempo lascerò questo corpo e il mio spirito volerà leggero... non porterò nulla con me, nessun oggetto potrò portare con me... ma **ricorderò ogni volta che il mio cuore ha riso e ha donato una risata a qualcun altro**: questo ricorderò! – disse il cinese felice, e subito gli affiorò sulle labbra una grossa risata.
– Mi hai insegnato molto, cinese felice – disse l'uomo, mentre sulla sua bocca si spalancava un bellissimo sorriso.
– E allora ti insegno un'altra cosa: dammi una moneta. **Impara a condividere quello che hai, non tenere nulla solo per te**. Io so ridere e ho imparato a condividerlo con gli altri. Dammi una moneta, così comprerò altri dolciumi e altri giochi per riempire il mio sacco prima di partire per il prossimo viaggio...
L'uomo si frugò nelle tasche, trovò due monete e disse:
– Ho compreso il tuo insegnamento... Ho due monete, te le darò!
– Bravo! – rise il cinese felice. – Hai capito! – e riprese il suo sacco, e ridendo ridendo si allontanò dalla piazza.
Tutta la folla lo salutava ridendo, e le onde di risate carezzarono per molti giorni quel paese.

Molti degli abitanti avevano capito... Hai capito anche tu?

21

L'artista taccagno

In ogni tempo e in ogni luogo **l'arte è la più grande espressione di quanta bellezza c'è nell'animo dell'uomo**.
La storia che ti appresti a leggere parla di Gessen, un talentuoso pittore che realizzava opere di rara bellezza. Ma non era questa la ragione per la quale era famoso. In pochi conoscevano il suo nome, ma tutti sapevano chi fosse «l'artista taccagno», perché così era conosciuto dai più. Ciò accadeva perché Gessen insisteva affinché lo pagassero sempre in anticipo e inoltre i suoi compensi erano molto alti.
Una volta una giovane donna gli ordinò un dipinto.
– Quanto puoi pagare? – volle sapere subito Gessen.
– Quello che vuoi tu – rispose la ragazza. – Ma voglio che tu faccia il lavoro davanti a me.
Così Gessen venne chiamato il giorno in cui la ragazza dava una festa con i suoi amici. Con poche ed eleganti pennellate Gessen dipinse un magnifico ritratto della fanciulla e, quando finì, chiese la cifra più alta che fosse mai stata chiesta in quel tempo.
Ricevette quanto aveva chiesto.
Dopo averlo pagato la ragazza si rivolse ai suoi amici e disse:
– Questo artista vuole solo il denaro. I suoi dipinti sono belli, ma

dal suo cuore non trabocca l'Amore per quello che fa. Poiché questo Amore non c'è, è come se il suo cuore fosse sporco e quindi in un certo senso anche i suoi dipinti lo sono! E un dipinto sporco non merita di essere esposto, non vi pare amici?

Tutti restavano in silenzio e guardavano Gessen, che a sua volta li guardava immobile e tranquillo.

– La tua opera è appena adatta a diventare una delle mie sottovesti – continuò la ragazza in tono ironico.

– Anzi, facciamo così, artista taccagno: dipingi ora la mia sottoveste! – proseguì la giovane ridendo.

– Quanto mi paghi? – fu l'unica domanda posta da Gessen.

– Qualunque somma tu voglia – gli rispose lei, scura in volto.

Gessen chiese una cifra dieci volte più alta di quella di prima; realizzò il dipinto, prese i soldi e se ne andò.
Qualche tempo dopo si seppe che Gessen non era affatto taccagno, ma aveva bisogno di molto denaro per tre ragioni...
Innanzitutto nel suo paese era scoppiata una tremenda carestia. I ricchi non aiutavano per nulla i poveri, così Gessen aveva un magazzino segreto, che teneva sempre pieno di grano. Quando una famiglia si trovava in serie difficoltà si rivolgeva all'artista e lui offriva quanto aveva gratuitamente.
Inoltre la strada che portava al suo villaggio era in pessimo stato e per molte persone era estremamente faticosa da percorrere. Lui stava mettendo da parte i soldi per costruire una strada migliore.
La terza ragione era di natura più personale: il suo insegnante era morto prima di portare a compimento il suo più grande desiderio, costruire un tempio. Gessen gli aveva promesso che avrebbe terminato il lavoro per lui.
Molti anni passarono e molti e molti dipinti Gessen dovette fare prima di realizzare questi tre progetti. Ma ci riuscì, con pazienza e tenacia ci riuscì.

E da quel giorno buttò via i pennelli e gli attrezzi da pittore, si ritirò sulle montagne e non dipinse mai più.
Chi lo aveva conosciuto, solo a quel punto, imparò una importantissima lezione: **nessuno può giudicare un altro, perché nessuno conosce che cosa c'è realmente nel cuore di un'altra persona**.
Il cuore di Gessen era pieno di Amore e lo aveva dimostrato non con le parole, ma con i fatti.
I fatti, sai... solo quelli producono un cambiamento: le sole parole... non bastano!

Te lo ha insegnato Gessen, l'artista generoso che mi ha chiesto di lasciarti un ultimo messaggio, il più importante, il più prezioso:
– **L'arte salverà il mondo**.
E il prossimo generoso artista, se lo vuoi... sei tu!

Indice

L'autrice

Marina Iuele insegnante elementare da 25 anni, attrice e regista teatrale. Da più di 10 anni ha intrapreso un cammino di crescita che l'ha portata a modificare via via anche il suo metodo di insegnamento, lasciando ampio spazio ad ogni forma di espressività pura e di manifestazione del sentimento. Cerca di aiutare i suoi allievi a mantenere la loro connessione con ogni livello del Sentire.

Ha partecipato a differenti progetti, anche a livello europeo, per la diffusione di forme d'arte in interazione (ad esempio ha realizzato uno spettacolo in lingua francese con alunni di scuola elementare).